lapin mon lapin

malika doray

Lapin mon lapin tu es mon lapin
et c'est le soir.

Les étoiles vont briller
et les lucioles vont scintiller.

Les chauves-souris vont se mettre à voler
et le hibou va hululer.

Mais toi,
Lapin mon lapin, tu es un lapin,
c'est la nuit alors tu dois dormir.

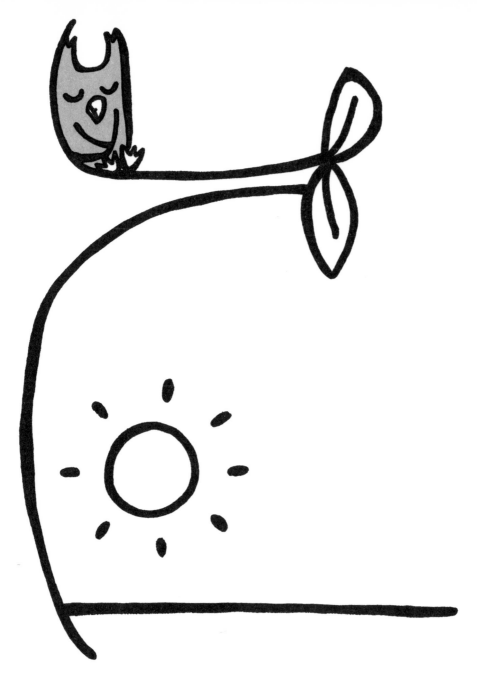

Et demain matin...
c'est le hibou qui se reposera.

Lapin mon lapin tu es mon lapin,
et c'est l'heure de déjeuner.

Le hibou pour manger s'aide de ses pieds,
et l'éléphant de son drôle de nez.
Le singe se sert de sa queue et
les oiseaux utilisent leur bec.

Mais toi,
Lapin mon lapin, tu es un lapin :
tu as deux mains et une cuillère
alors ne mets pas tout par terre !

Lapin mon lapin tu es mon lapin.

Les inséparables,
sont des perroquets
qui ne se séparent jamais.

Ils dorment ensemble,

ils mangent ensemble,

ils vont à la crèche ensemble,

ils font tout ensemble.

Mais nous,
Lapin mon lapin, nous sommes des lapins.
Alors parfois il faut nous séparer.

Pour ensuite pouvoir nous retrouver !
et comme ça tu pourras me raconter...

Lapin mon lapin tu es mon lapin.

Les poulpes ont huit bras pour câliner
tous leurs enfants à la fois.

Les mille pattes ont mille mains
pour tout escalader en un tour de main.

Mais nous, Lapin mon lapin,
nous sommes des lapins

Je n'ai que deux bras
et je ne peux pas tout faire à la fois.

Tu n'as que deux mains
et il faut tout faire un par un.

Jouer,

se promener,

dessiner,

manger,

se laver,

chanter  et...

dormir.